Prod No. Date Supplier	99983 16.09.19 Asia Pacific Offset
T.P.S Extent	285 x 275mm portrait 32pp total in 4/4 (cmyk) 140gsm uncoated woodfree
Cover	4/0 + matt lamination on 128gsm glossy art paper + foil stamped on front/back and spine in silver foil ref G56
Binding	All editions thread sewn in sections, first and second lined, square back, cased with PLC over 2.5mm greyboards.
Ends	1/1 (solid PMS 420 U (pale grey)) on 140gsm uncoated woodfree machine varnished 2s.

el FANTÀSTIC VIATGE d'en FRANKLIN i la LLUNA dins el LLIBRE de RONDALLES

JEN CAMPBELL

il·lustracions de KATIE HARNETT

BLUME

A en Franklin i a la Lluna els encanten les històries.
Relats farcits de fantasmes i gestes de cavalleries.

Se'n llegeixen l'un a l'altre mentre remen al llac
i imaginen aventures amb espases i varetes de mag.

Avui és l'aniversari d'en Franklin.
Amb sis-cents sis anys s'ha llevat.

Però ningú no li ha fet cap regal!
Tem que els seus amics se n'hagin oblidat...

Però, un moment...
La Lluna distreu en Franklin
mentre tothom corre amunt i avall.

—*Xit!*
Tota la vila organitza la sorpresa de l'any!

La Lluna s’endu en Franklin a una llibreria de fora la vila.
La mestressa és una dona que porta una bata de vellut.
Un munt d’aranyes amb ulleres
mantenen els prestatges endreçats.
Hi ha llibres de tota mena de temes:
des d’encanteris fins a belles arts.

El lloc perfecte per passar una bona tarda.
La botiga és plena fins dalt.

En Franklin no s'ho pot creure,
hi ha llibres que li igualen l'edat!

En un racó cobert de teranyines, a la vora d'un rellotge antiquat,
hi ha un llibre polsós guardat amb cadena i cadenat.

En Neil, la tortuga de la Lluna, es deixa endur per la curiositat.
S'hi acosta per tafanejar-lo sense imaginar que estava encantat.

Ignorant tots els advertiments, s’espera que ningú miri
per trencar el cadenat...

... i quan obre la coberta, desapareix tot d’un plegat!

—L'hem de rescatar! —crida la Lluna.
—Ai, petita —es lamenta en Franklin—,
anar en missió de rescat
pot ser perillós!

S'apropen al llibre amb precaució:
vibra, brilla i taral·leja ansiós.

—Vet aquí una vegada —el llibre xiuxiueja.
—FI, FA, FO, FUM —algú vocifera.

I sense rumiar-s'ho dues vegades,
en Franklin i la Lluna, agafadets de la mà...

… salten dins del llibre com si no hi hagués demà!

Van a parar a un bosc tenebrós.

Hi fa olor de paper, de tinta i de rebost.

—Neil, ets aquí? —bramen.

No se sent ningú parlar.

Dit i fet, la Lluna i en Franklin enfilen camí enllà.

En una clariana, troben tres porquets que construeixen una masia.

—Ei, hola —diu en Franklin—. Espero que tingueu un bon dia.
Per casualitat no heu vist una tortuga? No sabeu pas per on para...

—Una tortuga? —ronca un porquet—. En una rondalla?

—No, no —diu un altre—, almenys no en aquest llibre de contes, però si esteu segurs que és per aquí, us podem ajudar a esbrinar on és.

Decideixen formar un equip de recerca i comencen a cridar en Neil.
Coneixen tres ossos i una bruixa amb una filosa i molt de fil.

Saluden una princesa endormiscada amb una bossa de pèsols congelats,

i un xicot que ha venut la vaca per un grapat de mongetes màgiques.

Troben un cavaller vigilant un fortí.
—No, no he vist cap tortuga per aquí.

Passen per una botiga que ven sabates de cristall...

... i en veure uns ullals afilats, s'aturen fent escarafalls!

—Quines ales tan grans que tens —diu el llop, somrient.
—Gràcies —respon en Franklin, satisfet i ben content.

—Tu no ets dels dolents? —pregunta la Lluna, sense gaire interès.
El llop rebufa i gruny. S'omple els pulmons d'aire fins que ja no pot més.

—No t'hauries de creure tot el que llegeixes, saps? —li retreu sense vacil·lar—. Ara soc vegetarià. I també faig ioga. Ja ho veus, tothom pot canviar.

—Dieu que busqueu una tortuga? —pregunta el llop, tot lluint la dentadura—. Perquè, si no és que vaig errat, n'hi ha una allà que no s'atura.

Corria una carrera amb una llebre! Qui ho havia de dir?
—Neil, estàvem amoïnats! —criden en Franklin i la Lluna fora de si.

Tothom celebra amb una bona cridòria que en Neil ha arribat a la meta.
—Estàveu amoïnats? Doncs, m’ho he passat genial! —diu en Neil amb una rialleta.

Tot d'una, comença a tremolar la terra.
La celebració cau en un silenci intens...

Corrent cap a ells, a gambades retronants,
s'acosta un gegant immens!

—No soc jo qui fa tremolar la terra —vocifera el gegant—.
El llibre... Algú l'està tancant!
Si quan es tanqui no heu marxat,
us quedareu aquí atrapats!

—Podem venir amb vosaltres?
—pregunten els porquets.
—I nosaltres! —criden tots amb veu de gall.

—Volem veure el món real!
Podem explicar un munt de contes als xiquets!

S'acomoden tots a lloms d'en Franklin.
—Agafeu-vos! —comença a cridar.

El gegant aixeca vent
amb la bufera i en Franklin
es pot enlairar.

Les planes es comencen a tancar
mentre ells fugen d'una revolada.

Salten del llibre al món real,
a rodolons i amb alguna batzegada.

—Bufa! —sospira la Lluna, ajudant tothom amb la mà estesa—.
Em sembla que ens mereixem un descans. Veniu amb mi!
Qui vol un brioix de pols d'estrella, un pastís sencer o un bocí?

—Franklin —afegeix la Lluna picant l'ullet—, t'hem preparat una sorpresa!

En Franklin gaudeix de la festa. Un pícnic al sol molt acolorit!
El fa feliç celebrar l'aniversari amb tots els seus amics reunits.

Els amics nous es barregen amb els antics i passen la tarda xerrant.
Fins i tot els cosins d'en Franklin han baixat de la Lluna volant!